Juliette

Endroit visité

Ile de la Madelaine

Gaspésie

Québec

Juliette

Juliette

Je me présente

Je m'appelle : **Mathilde**

J'ai **8** ans

Ma passion est **la lecture**

Mon autoportrait

Juliette

Juliette

Île de la Madelaine

Il vente beaucoup
mais étonnament
il fait vraiment
chaud. C'est très
beau et grand.
On peut trouver
de vraiment gros
biscuit.

✩ ✩ ✩ ✩

Juliette

Juliette

Gaspésie

Maman et Papa ont des amis là bas. On peut aussi voir la mer. C'est aussi très grand et beau.

⭐ ⭐ ⭐ ⭐ ⭐

Juliette

Juliette

Québec

C'est a deux heure de route de la maison. C'est long mais ça vaut la peine. L'hôtel Sarro est vraiment cool. Il y a une carte pour entré dans la chambre

⭐⭐⭐⭐⭐

Juliette

Juliette

Juliette

Juliette

Hôtel   Dada

☆☆☆☆☆☆☆

Ch.1 =

Ch.2 = M. et Mme Terieur

Ch.3 = ~~Vincent~~ Léonie

Ch.4 = ~~Léonie~~ Vincent

Juliette

Juliette

Juliette

Juliette

Juliette

Juliette

Juliette

Juliette

Juliette

Juliette

Juliette

Juliette

....
....
....
....
....
....
....
....
....
....
....
....
....
....
....
....
....
....
....
....
....
....
....
....
....

Juliette

Juliette

Juliette

Juliette

Juliette

Juliette

Juliette

Juliette

Juliette

Juliette

Juliette

Juliette

Juliette

Juliette

Juliette

Juliette

Juliette

Juliette

Juliette

Juliette

Juliette

Juliette

Juliette

Juliette

Juliette

Juliette

Juliette

Juliette

Juliette

Juliette

Juliette

Juliette

Juliette

Juliette

Juliette

Juliette

Juliette

Juliette

Juliette

Juliette

Juliette

Juliette

Juliette

Juliette

Juliette

Juliette

Juliette

Juliette

Juliette

Juliette

Juliette

Juliette

Juliette

Juliette

Juliette

Juliette

Juliette

Juliette

Juliette

Juliette

Juliette

Juliette

Juliette

Juliette

....

....

....

....

....

....

....

....

....

....

....

....

....

....

....

....

....

....

....

....

....

....

....

....

....

Juliette

Juliette

Juliette

Juliette

Juliette

Juliette

Juliette

Juliette

Juliette

Juliette

Juliette

Juliette

Juliette

Juliette

Juliette